Edition Andrés Segovia

Manuel Ponce
1882 – 1948

Sonata III

para Guitarra
for Guitar
für Gitarre

Edited by / Herausgegeben von
Andrés Segovia

GA 110
ISMN 979-0-001-09551-8

www.schott-music.com

Mainz · London · Berlin · Madrid · New York · Paris · Prague · Tokyo · Toronto

A Andrés Segovia

Sonata III

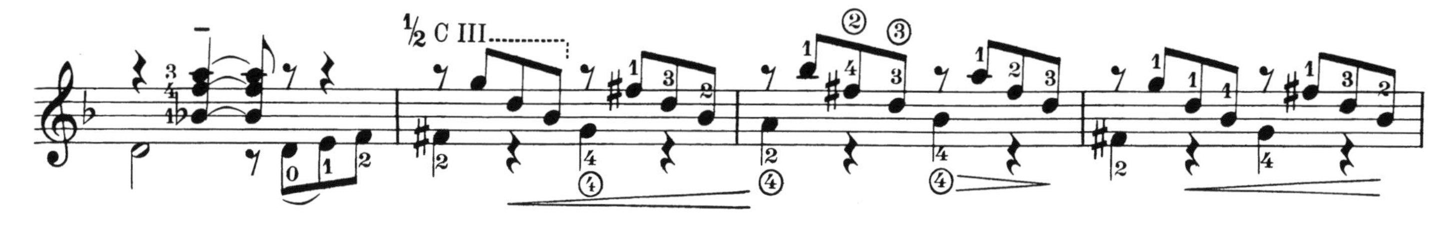
½ C III

più tranquillo ed espressivo

C III
scherzando

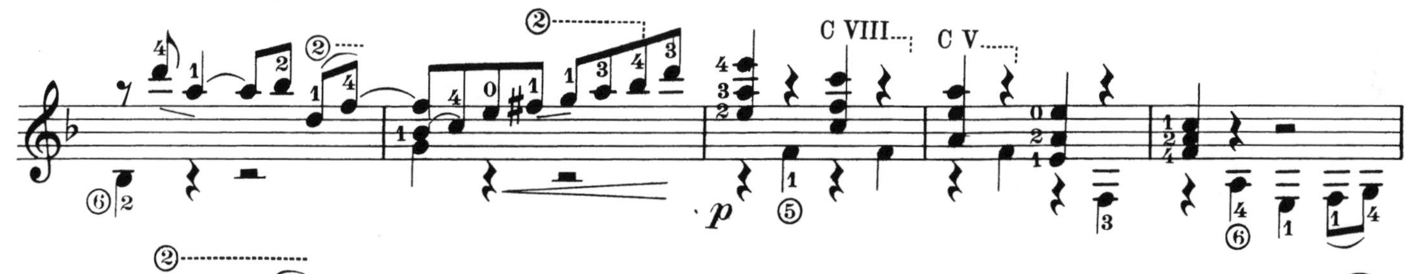
C VIII
C V

rall.

un poco più animato
C II
C IV

animando sempre
C II
C IV

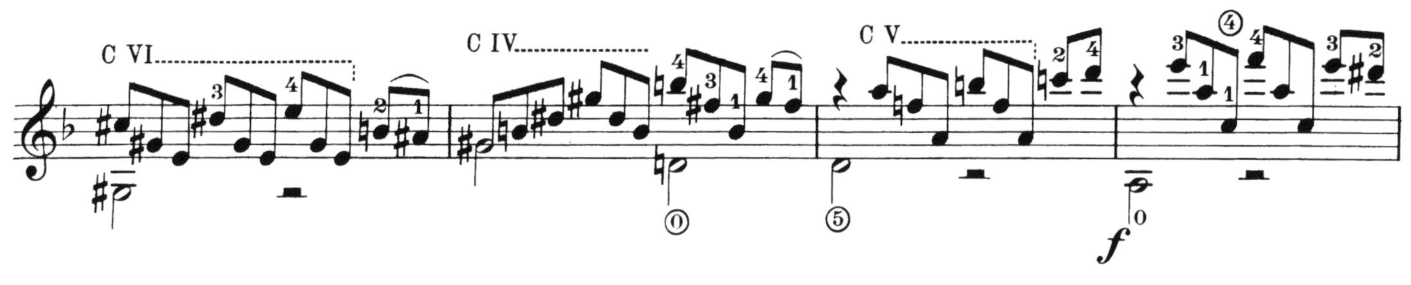
C VI
C IV
C V

dim.
C IV
espress.

C XI
C VIII
C IX
C VII
p

Arm.12 C X
C VII
VIII
VI
p

rall.
Arm.8
Tempo I
C IV
f

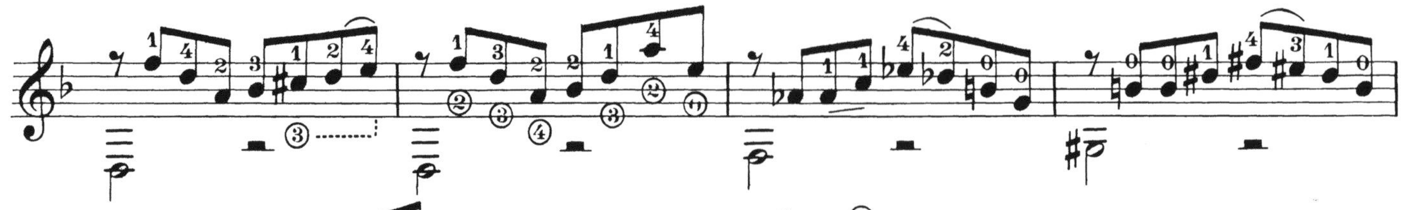

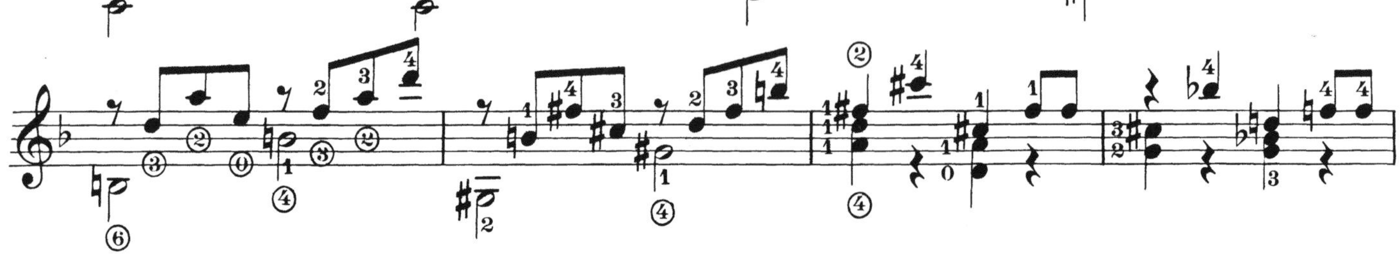

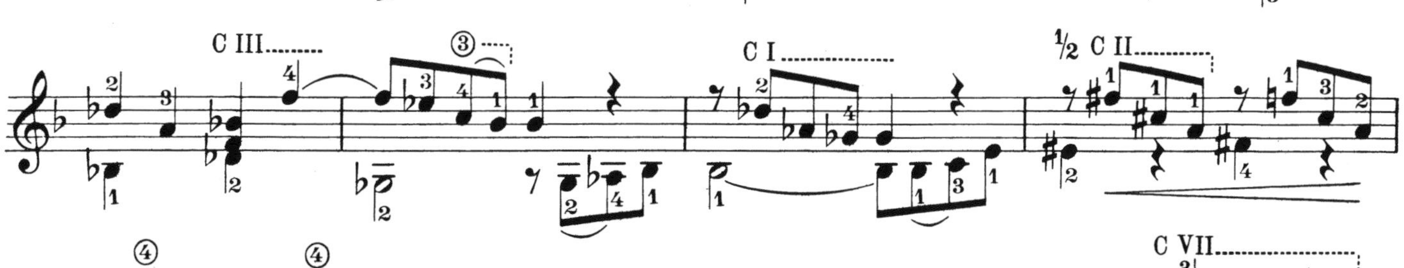
C III
C I
½ C II

C VII
p

C II
cresc.

C IV
C IV

più tranquillo
C III
ff
p
p

C VIII
C V

p
p
pp

II

Chanson

Andante
6ª en Re
C III
p
C V
f
C VII
Vivo
Calmo
Arm.7
p espressivo
C III
p molto espressivo
C IV

C V
C III

C III
C III
C V

rall.
Arm. 8
Arm.
pp
espress.
p
pp
smorz.
Arm.

III
Allegro non troppo
C III
6a. en Re
f
giocoso
f
f
p
C III
C II
C III
legère

f
poco rit.
a tempo
p
C II
½ C VII
C V
C VII
cresc.
molto
ff
pp
poco rit.
a tempo
f

Meno mosso
C III
p

C II
C II C I
C I

Vivo
f

f

Vivo
p a mi i p a mi i p a mi i
p

simile

m i

½ C V
Lento
C II
½ C V
C II
energico

Vivo
p a m i p a m i p a m i
simile

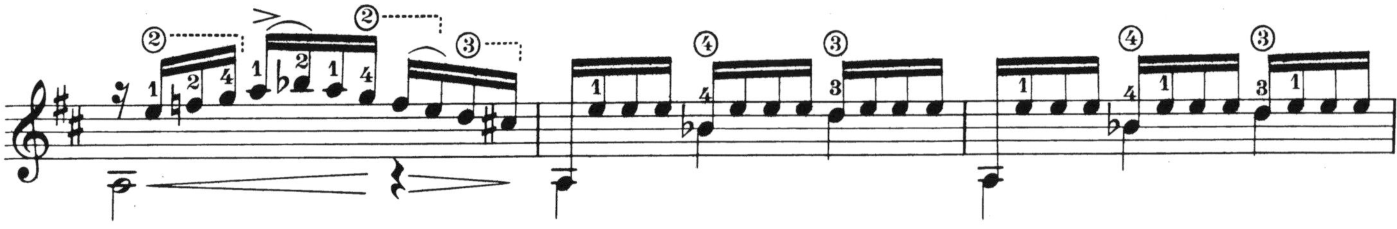

Lento
C V
Arm. 8
C II
espress.

C V
C II
Vivo
C V
a m i
p

cresc.

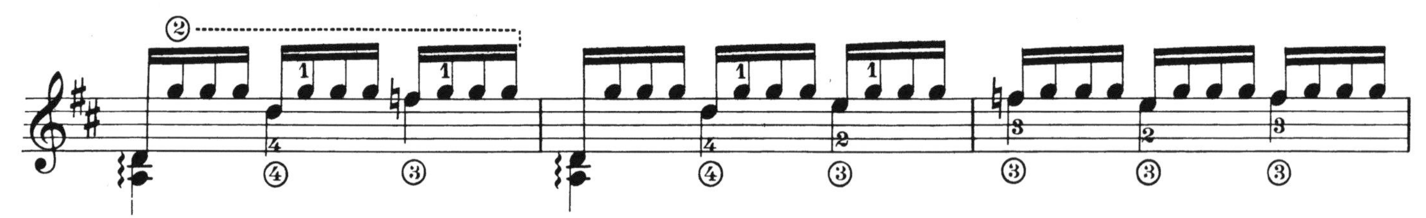

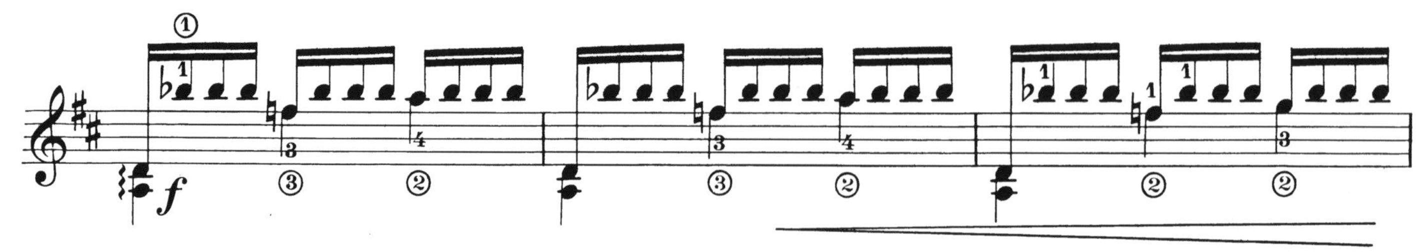
f

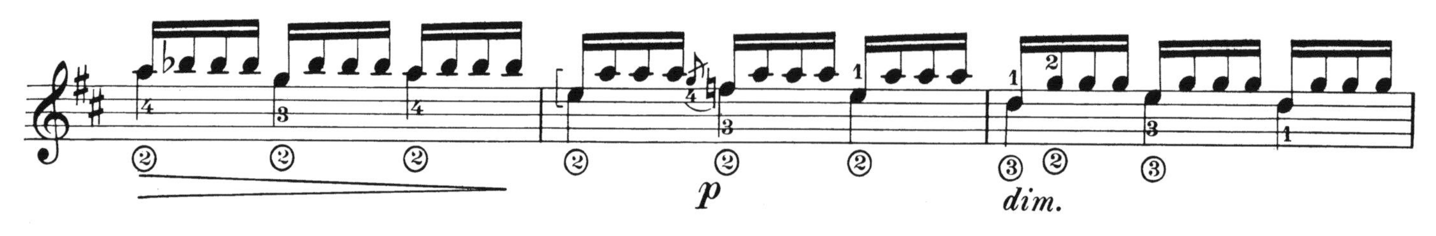
p
dim.

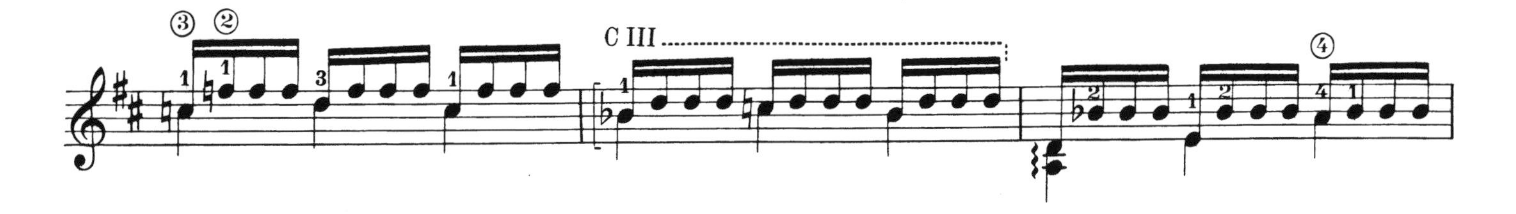
C III

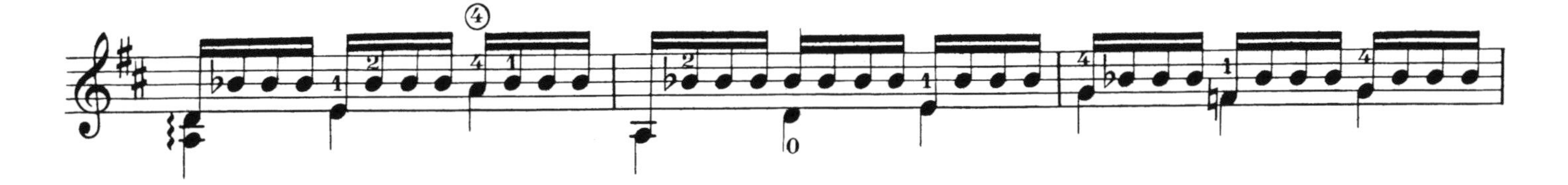

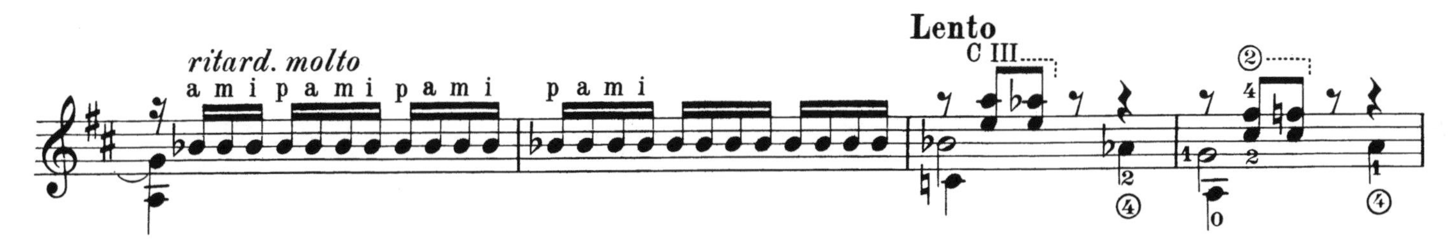
ritard. molto
a m i p a m i p a m i
p a m i
Lento
C III

C V
Vivo
a tempo

rall.
Lento
espress.

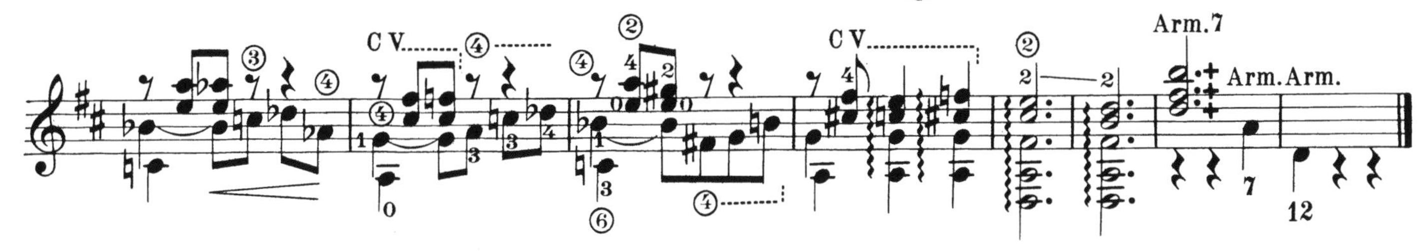
C V
C V
Arm.7
Arm. Arm.